학생들이 들려주는
학교텃밭 이야기

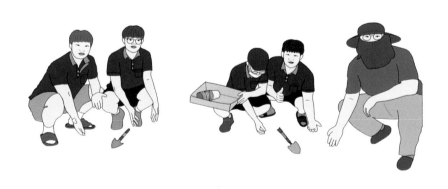

학생들이 들려주는 학교텃밭 이야기

발 행│2024년 12월 25일
저 자│이정섭
펴낸이│한건희
펴낸곳│주식회사 부크크
출판사등록│2014.07.15.(제2014-16호)
주 소│서울특별시 금천구 가산디지털1로 119 SK트윈타워 A동 305호
전 화│1670-8316
이메일│info@bookk.co.kr

ISBN│979-11-419-2466-9

www.bookk.co.kr
ⓒ **이정섭 2024**

학생들이 들려주는 학교텃밭 이야기

이정섭 지음

목차

3. 텃밭 활동 이후

- 고기파티(김유빈)
- 바질패스토 만들기(김유빈)
- 바질 파스타(변휘재)

4. 텃밭 활동 다른 이야기들

- 마인크래프트 속 농사(김현빈)
- 다양한 게임 속 농사(임현우, 남태현)
- 식물 종이접기(양민종)
- 농사 관련 보드게임(양민종)
- 시와 그림(나한솔)

이 책의 추천사를 쓰게 되어 영광입니다.

이들의 옥상 텃밭은 한 줄기 햇살처럼 따뜻한 기억으로 가득 차 있습니다. 이 문집에는 학생들과 교사가 학교 옥상에서 함께 농사를 지으며 겪은 다양한 이야기들이 담겨 있습니다. 학생들은 농사의 재미와 자연의 소중함을 배우고, 정성을 쏟아 그 열매를 누리는 행복을 알게 되었습니다.

글을 읽으며 학생들이 모종을 심고, 물을 주며, 함께 했을 순간들을 떠올려봅니다. 방울토마토가 익어가는 모습에 즐거워하고, 바질을 따서 파스타를 만들고, 바로 딴 쪽파로 한 파전을 나누고, 수확한 열무로 집에서 김장하고, 상추와 고추를 수확해 파티하며 웃는 모습까지, 모든 경험이 학생들의 소중한 추억으로 남았습니다.

이 경험이 학생들에게 좋은 추억이 되어, 살아가며 떠올릴 수 있는 멋진 자산이 되길 바랍니다. 아울러 이 책이 여러분에게도 즐거운 읽을거리가 되길 바랍니다. 감사합니다.

광성고등학교 교감 정찬훈

텃밭을 준비하며

· 학교 텃밭사(정섭T)
· 외래작물의 역사(이강민)
· 유익한 생물과 해로운 생물(최원찬)
· 농업과 환경(유진수)

학교 텃밭史

정섭T

보낸 사람	이정섭 교사(중등)	2024-03-20 오전 10:40
받는 사람	██████ 창의인성부장 (1명)	

제목 : 답장: 선생님 혹시

못들었습니다~

    -------- 원본 메시지 --------
    보낸 사람: 김███
    보낸 시간: 2024년 3월 20일 수요일 오전 10:40:08
    받는 사람: 이정섭 교사(중등) 1명
    제목: 선생님 혹시

    선생님 혹시

    교감샘한테 도시 농부 이야기를 들으셨나요?

 이 책의 모든 이야기는 여기서부터 시작되었습니다. 바쁜 고3 담임 역할로 하루하루 지내던 3월에 쪽지가 하나 왔습니다. 이후 과정들은 구구절절 설명하면 길지만 요약하자면 정ㅇㅇ선생님이 교감 선생님이 되시면서, 기존에 선생님께서 하시던 학교 텃밭 활동을 물려받게 된 것이죠. 이

때까지만 해도 제 피부가 타서 노안이 되고, 손톱 밑에 까맣게 흙물이 들리라고는 생각하지 못했답니다. 희망씨앗으로 모임명도 정하고 (가장 힘든 일), 참여 학생들을 모아 단톡방도 구성해서 민주적인 절차에 따라 원하는 작물을 신청하도록 했어요.

보낸 사람　　이정섭 교사(중등)　　2024-03-21 오전 9:31

받는 사람　　김█ 창의인성부장 (1명)

제목 :　답장: 답장: 답장: 답장: 답장: 선생님

넵 감사합니다. ㅎㅎ 클래식하게

> ------- 원본 메시지 -------
> 보낸 사람: 김█
> 보낸 시간: 2024년 3월 21일 목요일 오전 9:30:29
> 받는 사람: 이정섭 교사(중등) 1명
> 제목: 답장: 답장: 답장: 답장: 선생님
>
> 희망씨앗으로 결정되었습니다 ㅋ
>
> > ------- 원본 메시지 -------
> > 보낸 사람: 이정섭
> > 보낸 시간: 2024년 3월 21일 목요일 오전 9:27:30
> > 받는 사람: █ 창의인성부장 1명
> > 제목: 답장: 답장: 답장: 선생님
> >
> > 심고자라나
> >
> > 행복텃밭
> >
> > 희망씨앗

토마토, 오이, 고추, 상추, 선인장 등 다양한 의견이 나왔고, 학교 옥상 여건과 예산, 계절 상황, 난이도 등을 고려해 최종 결정하고 톡방에 알려줬죠. 중간중간 모종사에 가서 물건 주문하고 결제하고 받고 등등 뭐 행정업무와 번거로운 일들 설명은 생략하도록 하죠.

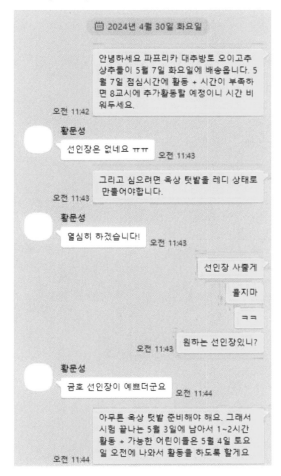

4월 초에 파종이나 모종 옮겨 심기를 했어야 하는데 이런 저런 어른들의 사정으로 5월 초에 하게 되었어요. 겨우내 황폐해지고 딱딱하게 굳은 옥상 텃밭을 바로 심을 수 있는 상태로 만들려면 시간이 촉박했죠. 그래서 아이들과 주말까지 나와서 일을 했어요. 열심히 일한 친구는 선인장과 식충식물을 받아 매우 행복했답니다.

　흙 섞어서 퇴비 넣고 삭히고 곡괭이로 갈고 모종 옮겨심
고 물 주고 지지대 세우고 등등 피부색이 까맣게 변해갈
즈음 석양과 함께 피어난 방울토마토 꽃, 작고 귀엽게 맺
힌 열매를 보고 받았던 벅찬 감동은 지금도 잊을 수 없는
추억이 되었습니다.

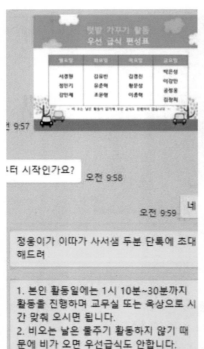

　모종이 커가면서 + 날이 따듯해지면서 더 많은 일손이 필요해졌어요. 물도 자주 줘야 하고, 잡초 제거도 매일 해 줘야 하니까요. 하지만 바쁜 고3 학생들은 방과 후에 더 바쁘기 때문에 점심시간을 쪼개서 활동해야 하죠. 그래서 요일별로 활동하는 인원을 정해 급식을 먼저 먹고 올 수 있도록 했어요. 그때는 바쁘고 정신없어서 제대로 말을 못 했는데 지면을 빌어 열심히 활동한 학생들에게 감사 인사를 전합니다. 다들 열심히 참여해줘서 고마워.

　2달을 약간 채우지 못했는데 상추, 고추, 방울토마토 등이 완전히 익어서 수확해야 하는 시기가 왔어요. 함께 일한 학생들이 수확의 기쁨을 고기와 함께 누렸으면 해서 정말 힘들게 아주 힘들게 허가를 받아서 안전조치도 다 하고 청소도 다 하고 수확제를 열게 되었습니다. 학생들

모두 자기가 얼마나 열심히 일했었는지, 농사하며 있었던 경험을 이야기하며 수확물을 나눈 행복한 시간이었어요.

여름방학 이후로는 방학 동안 자란 잡초도 뽑고 흙도 새로 갈고 쪽파와 열무를 심어 파전과 열무김치도 해서 먹었는데 지면이 짧아 여기까지 써야겠네요.

학생들과 함께한 1년의 추억, 도시의 바쁜 일상들 사이에 흙을 만지는 경험을 통해, 씨앗에서 성장한 식물들처럼 우리도 함께 성장해 나갔습니다. 식물이 커가는 것을 보며 수확의 기쁨을 나누고, 옥상 땡볕 아래 힘들었던 순간들을 돌아보면 모두 소중한 시간이었습니다.

농사만큼 정직한 것이 있을까요? 세상의 많은 일들과 달리 노력이 결과로 눈에 보이는 일을 경험하며, 학생들이 행복했다고 생각합니다. 이 경험을 통해 졸업하는 우리 3학년 텃밭 활동 학생들이 자신감을 얻고, 앞으로의 삶에서도 서로 돕고 함께하는 가치를 잊지 않았으면 좋겠습니다.

이제는 텃밭에서의 수확을 마무리하고, 또 다른 도전을 향해 나아갈 시간입니다. 우리가 함께한 시간, 함께 일군 땀의 결실은 결코 사라지지 않을 것입니다. 앞으로도 자연과 사람, 그리고 서로에 대한 사랑과 존중을 잊지 않기를 바라며, 다시 만날 그날을 기다리겠습니다.

여러분 모두에게 감사의 말씀을 전합니다. 여러분과 함께한 이 경험이 앞으로의 삶에 큰 힘이 되기를 기원합니다.

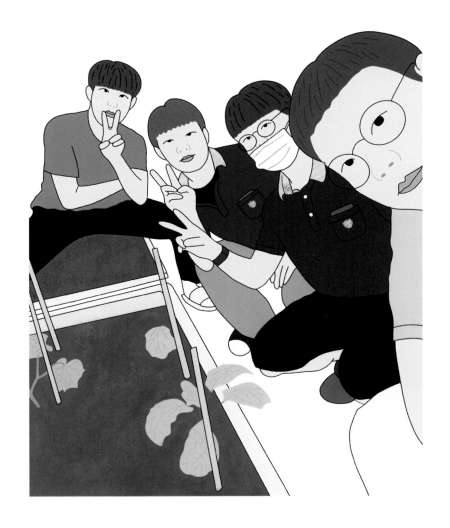

외래작물의 역사

이강민

　옥상에서 텃밭 활동을 하며 상추를 재배했다. 상추를 재배하며 상추에 관해 좀 찾아보는 중, 상추가 매우 오래전부터 한국에서 재배되고 한국인이 즐겨 먹던 작물이지만, 그 유래는 아주 먼 유럽, 서아시아, 북아프리카 지역이라는 것을 알았다. 조금의 충격을 받은 나는 한국인의 식탁에 오래전부터 깊숙이 침투한 외래작물로는 무엇이 있는지 알고 싶었다. 또 이와 함께 잘 알려진 외래작물도 함께 알아보도록 하자.

▲ 학교 옥상에서 상추를 키우는 모습

·상추

 우선 상추에 관해 알아보았다. 상추는 상기했듯, 그 원산지는 유럽, 서아시아, 북아프리카 지역이다. 이 상추가 언제쯤 한국에 들어왔는지 그 시기는 정확히 남아있지는 않으나, 기록상으로 보았을 때 삼국시대에는 들어온 것으로 보인다. 이 시기 재밌는 기록이 하나 있다. 중국의 고서, 『천록지여』에 따르면, 고구려의 상추는 질이 매우 좋아서 고구려 사신이 가져온 상추 씨앗은 천금을 주어야만 얻을 수 있다고 해 천금채라고 했다고 한다. 성공적인 역수출이었던 것이다.

 그러면 우리나라에서 상추를 먹는 대표적인 방식인 쌈은 언제부터 시작됐을까. 여러 기록을 봤을 때 쌈 문화는 고려시대 이전부터 존재해 왔음을 알 수 있다. 또 이익의 『성호사설』에서는 여러 채소에 쌈을 싸먹는데, 그중에 상추쌈이 제일이라고 기록하고 있다.

·배추

 다음으로 알아본 작물은 배추다. 배추 또한 처음에는 수입된 작물임을 알았을 때도 상추 때와 마찬가지로 나는 큰 충격에 빠졌다. '아니 배추마저도….'라는 생각이 들었다. 배추의 원산지는 상추만큼 멀지는 않았다. 중국 북부지

방이 그 원산지로 한국에 처음 도입된 것은 13세기경으로 파악되고 있다. 배추라는 이름도 그 어원은 중국에서 배추를 이루는 말인 백채(白菜)라고 한다.

그런데 지금 우리가 흔히 먹는 배추는 처음 들어왔을 당시의 배추와는 좀 많이 다르다. 처음 우리나라에 들어왔던 배추는 매우 빈약한 생김새를 가지고 있었다. 얼갈이나 청경채와 비슷했다고 한다. 그래서 이 때문에 본래 배추가 아니라 무를 이용해 만든 김치가 매우 보편적이었다.

▲ 처음 수입되었던 배추 품종의 모습

그러면 언제부터 지금 우리가 먹는 배추가 한국에서 재배됐을까? 바로 구한말 시기에 중국으로부터 신품종의 배추를 들여오면서부터다. '청배추'라고 불렸던 이 배추의 모습이 지금 우리가 먹는 배추의 모습과 유사했다. 지금의 중국 배추를 생각하면 편하다. 그런데 이 배추는 값이 매우 비쌌다고 한다. 현대처럼 배추가 전 국민에게 보급되고 배추김치가 보편적인 김치로 자리 잡은 시기는 우장춘 박사가 품종개량에 성공한 1950년대 후반 이후라고 한다. 이 때문에, 현재도 북한이나 조선족은 전과 같이 무를 이용한 김치가 보편적이며 고려인들은 무와 비슷한 당근을 이용해 김치를 담근다.

이제부터는 뜻밖의 외래작물이 아닌 그래도 잘 알려진 외래작물에 관해 조금 더 자세히 알아보고자 한다.

·고추

고추는 남아메리카가 원산지로 17세기 초엽에 전래되었다. 고추는 일본을 통해 들어온 것으로 보이는데, 『지봉유설』에 고추가 일본에서 전래되어 '왜겨자'라고 한다는 기록도 있다. 이 고추라는 이름은 '고초(苦草)'라는 말에서 변형된 것인데, 지금이야 고(苦)라는 글자가 쓰다는 뜻을 가지고 있으나 조선시대에는 맵다는 뜻으로 쓰였다고도 하

니, 적절한 이름이다. 고추는 첨에 들어왔을 때는 독초로
분류되었다고 한다. 그러나 소금이 귀해지는 등의 여러 원
인으로 고추는 점차 한국인의 요리에 들어가기 시작했고,
현재는 한국인에게 있어 필수적인 것이 되었다.

▲ 옥상에서 고추를 키우고 있는 모습

·고구마

 고구마 또한 남아메리카가 원산지로 일본을 거쳐 들어왔다. 영조 시기 통신사로 일본에 가게 된 '조엄'이 대마도에서 종자를 얻어 동래와 제주에서 시험 삼아 심게 하며 처음 우리나라에 들어오게 되었다. 이 때문에 고구마를 한자로 조저(趙藷)라고도 한다.
 하지만 고구마를 재배하고자 하는 노력은 이보다 먼저 이광려라는 인물이 하였다. 이광려는 『농정전서』를 통해 고구마에 관해 알게 되었고, 여러 도움을 받아 고구마 재배를 시도했으나 실패했다.

이런 이광려에게 자극받은 동래부사 강필리는 동래에서 고구마 재배를 시도하였고 어느 정도 성과를 거두었다. 이 두 사람 이후에도 여러 사람이 고구마 재배를 주장했으며, 국가에서도 고구마 재배를 장려했다. 이후 김장순과 선종한이 서울에서 고구마 재배에 성공하며 남부 지방에서만 재배되면 고구마가 서울 지방까지 확대되었다. 이후에도 여러 노력이 있었고 1900년대가 되어서는 고구마가 전국적으로 지배되었다고 한다.

·감자

 감자 또한 남아메리카가 원산지인 작물이다. 감자의 정확한 전래 시기에 관해 정확한 정설은 없으나 『오주연문장

전산고』에 따르면 1824년-5년쯤에 청나라를 통해 전래되었다고 하며, 청나라 사람들이 조선에 인삼을 도둑질하러 왔을 때 심어 먹던 것이 남아 있다 전파되었다는 설도 있다. 또 1832년 영국의 상선이 조선 해안에 머물렀을 때 주민들에게 씨감자를 나누어주고 재배법을 가르쳐주었다는 기록도 남아있다.

무산의 수령이었던 이형재는 감자의 보급을 위해 힘썼는데, 감자가 좋은 식량이 된다는 이야기를 듣고 이를 구해 전파하려 했으나 처음에는 백성들이 씨감자를 주지 않았다고 한다. 감자를 재배하면 이익이 많이 남으므로 이것만 가꾸고 다른 곡물은 생산하지 않는 탓에 관아에서 세(稅)로 받아들일 곡물이 없어져 당시 금령을 내렸고, 백성들은 금령을 무릅쓴 채 비밀로 재배하고 있었기 때문이었다.

그래서 이형재는 많은 소금을 주며 감자를 구해 전파시켰다고 한다.

감자는 한반도 북방 지역과 강원도 산간까지는 빠르게 전파되었다. 하지만 한반도 남부까지는 전파되는데 시간이 좀 걸렸다고 한다. 남부에서는 이미 고구마가 자리를 단단히 잡았기 때문이며 북부와 산간에서는 고구마 재배가 어려워 감자가 빠르게 퍼졌다

·고구마와 감자

이 고구마와 감자 사이에는 이름에 관한 조금 재밌는 이야기가 있다. 본래 고구마가 처음 조선에 들어왔을 때 '감저(甘藷)'라고 불렸다. 이후 감자와 고구마 모두 감저라고 불리다가 일본어 음차인 고구마라는 단어가 새롭게 들어오며 감자와 고구마의 명칭이 분리되기 시작했다. 일본 쓰시마에서 고구마를 당시 효자마, 일본식 발음으로 '고코이모'라고 불렀는데, 여기서 고코를 따오고 뒤에 식물의 이름마를 붙여 고구마가 되었다고 한다. 본래 고코이모에서 이모라는 단어가 덩이줄기 식물을 통칭하는 한자이기에 최대한 의미가 통하게 한 것이 돋보인다. 이런 점 때문에 제주도 등지에서는 아직도 고구마를 감저라고 부르고 감자는 지슬 혹은 지실이라고 부른다.

유익한 생물과 해로운 생물

최원찬

세상에는 농업에 이로움을 주는 생물과 해로움을 주는 생물이 있다. 우리가 흔히 볼 수 있는 생물들이 농사에 도움이 되고 해가 되는지 알아보자.

·유익한 생물

1. 무당벌레

무당벌레는 딱정벌레목 무당벌레과에 속하는 곤충을 칭하는 말로 무당처럼 화려한 색을 한데서 무당이라는 이름을 얻게 됐다.

무당벌레는 진딧물을 굉장히 많이 먹는다. 무당벌레 한 마리가 진딧물만 하루에 20~30마리 가량을 먹는다고 하니 엄청난 식욕이다. 심지어는 진딧물에다가 나방유충, 깍지벌레등 다른 해충까지 다 먹는다.

이러한 특성으로 무당벌레는 텃밭의 해충의 개체 수를

줄여주고 작물의 건강을 유지하는데 큰 도움을 준다. 특히
나 작물의 진액을 빨아먹어 작물을 죽이는 진딧물 퇴치에
효과적이다.

2. 우렁이

우렁이는 중복족목 논우렁이과의 동물이다. 강, 호수, 연
못, 논등 민물에 산다. 물속에 살며 연한 풀들을 먹이로
삼는다.

우렁이의 연한 풀들을 먹는 특성으로 우렁이를 이용해
잡초를 방제하는 우렁이 농법을 실시한다. 요즘은 제초제
를 쓰지않고 친환경 농업을 많이 실시하기 때문에 우렁이
농법이 큰 인기를 얻고 있다. 특히나 제초제로도 제거 할

수 없는 피, 물달개비, 와폴류까지 제거 할 수 있다는 장점을 가지고 있다.

우렁이 농법은 새끼 우렁이를 모내기 직후에 바로 방사하는 것으로 시작된다. 한 평에 우렁이 10마리, 3kg/200평을 방사한다. 수심을 잘 관리하지 못하면 벼까지 먹어버릴 수 있어 세밀한 관리가 요구된다. 노동력 절감, 비용절감의 효과가 있다.

· 해로운 생물

1. 진딧물

진딧물은 노린재목 진딧물아목 진딧물과에 속하는 곤충이다.

진딧물은 다방면으로 피해를 준다. 1차적인 피해는 식물의 진액, 즙액을 빨아먹어 성장을 멈추고 식물을 말려 죽이는 것이다. 2차적인 피해는 감로, 상처로 인한 바이러스, 곰팡이 감염이다. 감로는 진딧물의 오줌으로 잎위에 떨어지면 그곳에 그을음균이 번식해 식물이 성장하는 것을 방해한다. 진딧물이 남긴 상처와 진딧물로 인해 생기는 바이러스는 100종에 달하며 대표적으론 모자이크 바이러스, 박과 작물 황화 바이러스가 있으며 이 바이러스들은 세포 내에 서식해 한 번 발생하게 되면 치료가 거의 불가능하다.

▲ 진딧물의 모습

2. 담배나방

담배나방은 나비목 밤나방과의 곤충이다. 6월~9월에 활발하게 활동한다.

유충과 성충의 모습이다. 성충이 고추 잎에 알을 낳고 유충이 먹이를 찾기 위해 이동하며 고추열매로 이동하게 된다. 애벌레 한 마리가 4~11개의 고추를 먹는다. 진딧물과 다르게 군집되어 있지 않고 한 마리 한 마리 씩 떨어져 있는게 그 특징이라 방제하기도 굉장히 힘들다.

농업과 환경

유진수

오늘날 우리의 식탁에 오르는 음식 중에 농사를 통해 얻는 작물이 비교적 큰 비중을 차지한다. 한 번 밥상을 떠올려보자, 밥과 나물만 보아도 수많은 작물이 음식에 들어간다. 그 밖에도 빵, 인스턴트 식품에도 최소한의 작물이 음식에 첨가된다. 이러한 농업은 자연환경을 이용한다는 특성상 환경과 밀접하게 연관된다. 농업이 환경에 어떠한 영향을 주는지 알아보도록 하자.

·농업이란?

농업이란 흙이나 토지를 이용하여 인간에게 유용한 식물(곡물, 채소, 과일, 약재, 섬유 등)의 재배와 생산 그리고 가축들의 생산 및 품질 관리에 관계되는 온갖 활동과 연구를 일컫는 말이다. 그리고 농업은 기후, 토양, 물, 생물다양성 등 다양한 자연적 요인의 영향을 받으며 또한 환경에 영향을 주기도 한다.

·긍정적인 효과

1. 토양 환경 증진

농업은 토양의 침식을 줄이고 유익한 미생물의 성장을 촉진해 토양 환경을 개선하는데 큰 도움을 준다. 실제로 로데일 연구소(Rodale Institute)의 연구에 따르면 유기농 농법의 경우는 토양 유기물을 15~20%가량 증가시켜 토양의 건강과 비옥도를 개선한다. 또한 작물 순환 피복 작물 재배를 통해서 토양 영양분을 보충하고 화학 비료 사용을 줄여 염류화, 산성화를 막을 수 있다.

위 자료는 실제 로데일 연구소의 연구결과로 비용, 에너지 절감, 온실가스 절감에서 큰 효과를 거둔 것을 알 수 있다. 또한 생산량까지 증가한 것을 바탕으로 토양비옥도 개선을 엿 볼 수 있다.

2. 지역 생산량 증가를 통한 탄소발자국 감소

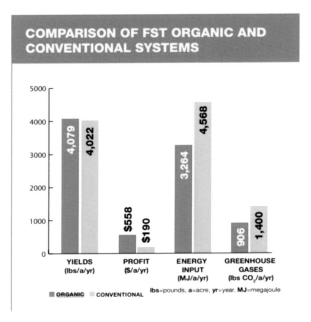

▲ 유기농 농법의 토양 비옥도 개선 표

 농업은 지역 사회에 신선하고 건강한 먹거리를 제공한다. 미국의 경우는 국내 파머스 마켓 수를 늘려 각 지역에 현지에서 재배한 신선한 식품을 제공할 수 있게끔 하였다. 또한 지역 농부를 지원해 지역농업이 발전하게 도왔다. 이런 것이 지역에서 생산된 것이 지역에서 소비되게 해 운송, 가공에 필요한 탄소를 줄여 온실가스 감소를 돕는다.

·부정적인 효과

1. 환경오염 유발

농업은 앞에서 소개한 것처럼 환경에 좋은 영향을 주기도 하나 잘못된 방법, 화학 비료와 농약의 과도한 사용과 같은, 방법으로 농사를 할 경우엔 오히려 토양의 유기물 감소, 물리적 구조 약화, 수질오염 등의 악영향을 가져온다. 또한 농사 과정에서 생기는 축산폐기물, 폐비닐, 폐농기계, 농기구, 농약, 폐비료포대의 양도 꽤나 많아 농촌의 오염을 가속화 한다.

농업을 위한 벌목, 화전도 환경에 좋지 않은 영향을 준다. 인도네시아와 같은 동남아 국가에서는 플랜테이션의 영향으로 목재, 팜, 커피 등을 생산하기 위해서 원래 정글, 숲을 없애고 밭을 만든다. 이런 것이 환경에 악영향을 준다.

텃밭을 일구며

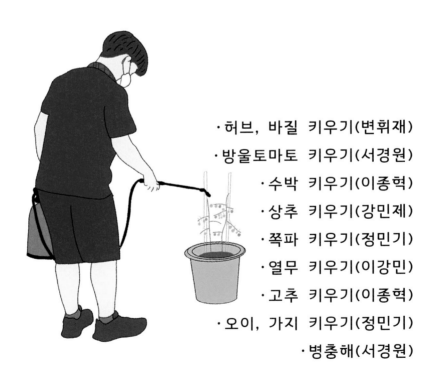

· 허브, 바질 키우기(변휘재)
· 방울토마토 키우기(서경원)
· 수박 키우기(이종혁)
· 상추 키우기(강민제)
· 쪽파 키우기(정민기)
· 열무 키우기(이강민)
· 고추 키우기(이종혁)
· 오이, 가지 키우기(정민기)
· 병충해(서경원)

식물 심기 (5월)

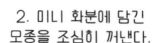

1. 부엽토와 퇴비를
   섞은 흙에
   구멍을 판다.

2. 미니 화분에 담긴
   모종을 조심히 꺼낸다.

3. 구멍 안에 모종을
   심고 흙으로
   덮는다.

4. 물을 듬뿍 준다.

* 팁 : 물이 든 패트병을
  꽂아둔다.

바질 키우기

변휘재

바질은 전 세계적으로 사랑받고 있는 허브로, 다양한 향과 맛, 용도를 지니고 있다. 특히 스위트 바질은 가장 널리 알려진 품종으로, 우리 학교 텃밭에서도 이를 재배하기로 했다. 스위트 바질은 적당한 햇빛과 물만 있으면 건강하기 자라기 때문에 초보자도 성공적으로 키울 수 있으며, 공기 정화 효과와 정서적 안정감을 주는 장점 덩어리인 허브다. 우리는 이 허브의 매력을 직접 느끼고, 또 바질의 풍미를 즐기기 위해 재배를 시작했다.

바질이 자라도록 물을 주는 장면이다. 처음 바질을 심을 때 물을 얼마나 줘야 할지 궁금해서 인터넷에 찾아보았다. 겉흙이 말랐을 때 아침저녁으로 충분히 물을 주며 약간 습하게 관리하는 것이 좋다는 정보를 알게 되었다. 그래서 매일 아침 등교할 때나 하교하기 전에 손으로 흙의 상태를 만져보고, 필요하면 물을 주었다. 또 분무기로 잎에 물을 뿌려 건조하지 않도록 관리했다.

　바질이 완전히 성장한 모습이다. 처음에는 옥상 텃밭에서 키웠지만, 햇빛이 너무 강해서 잎이 마르고 갈라지는 것을 보고 급히 우리 반 교실로 옮겼다. 교실에서 더 세심하게 관리를 할 수 있어 오히려 좋았다. 그래서 쉬는 시간마다 바질 상태를 확인하고, 점심 먹고 교실로 돌아와서도 계속 바질 곁에서 함께 시간을 보냈다. 그랬더니 바질이 더 이상 타지 않고, 쭈글쭈글했던 잎이 점점 푸릇해졌다. 나의 노력이 결실을 맺는 것을 보니 기분이 매우 뿌듯했다.

　바질을 한곳에 모아두었다. 물을 주기도 편하고, 바질들이 함께 있으면 하루하루가 더 즐거워 열심히 성장할 것 같았기 때문이다. 처음 옥상에서 교실로 이동했을 때는 잎이 되살아날 수 있을지 걱정이 많았다. 텃밭에서 화분으로 분갈이하면서 교실로 돌아가면 열심히 기르겠다고 다짐했었는데, 막상 옮긴 후에는 자신감보다 불안함이 앞섰다. 하지만 포기하지 않고 노력해서 정성껏 돌본 결과, 바질이 푸르게 되살아났다. 이 모습을 보니, 노력은 결코 배신하지 않는다는 것을 깨달았다.

·소감

텃밭 활동 중 가장 기억에 남는 작물은 단연 바질이다. 오랜 시간 함께했을 뿐 아니라, 교실에서 정성을 다해 키우며 너무나도 많은 애정을 쏟았기 때문이다. 7월부터 바질을 기르기 시작하면서, 같이 땀을 흘려보낸 동료가 되었다. 그리고 바질을 키우며 '관심'의 중요성을 배웠다. 식물은 우리의 관심과 보살핌 속에서만 잘 자란다. 물을 주고, 햇빛과 통풍에 신경 쓰며 꾸준히 돌봐야 한다. 반대로 관심을 주지 않고 방치하면 시들어 결국 생명을 잃게 된다. 이를 삶에 대입해 보면, 주변 친구들이 어려움에 처했을 때 관심을 가지고 모른 체한다면, 친구와의 관계도 점차 시들고, 나 역시 성장하지 못할 것이다. 바질은 나만이 아니라 주변 사람들의 관심과 소중함을 일깨워 준 특별한 식물이다. 가장 인상 깊었던 순간은 친구들과 함께 바질을 수확하고 요리를 만들어 나눠 먹었을 때다. 몇 달 동안 책임감을 가지고 키운 바질이 친구들과 추억을 만들어 주었다는 생각에 뿌듯함과 보람을 느꼈기 때문이다.

방울토마토 키우기

  방울토마토는 우리의 일상에서 가장 쉽게 접할 수 있는 채소 중 하나이다. 우리는 방울토마토를 자주 먹지만 방울토마토가 어떻게 열리고, 또 식물의 특징에 대해서는 잘 모른다. 그래서 이를 직접 몸소 체험하며 경험하고, 배우기 위해 방울토마토 재배를 계획했다.

방울토마토 모종을 심고 있는 모습. 이날 바람이 많이 불
어 흔들리지 않도록 심는 것이 가장 중요했다.

방울토마토가 맺히기 시작했다. 아직 작고 충분히 익지
않았으나 열매가 열렸다는 것 자체가 너무 보람차고 뿌듯
해서 수확할 수 있을 때까지 열심히 키우겠다고 다짐했다.

　먹을 수 있을 만큼 잘 익은 방울토마토의 모습이다. 실제
로 따서 먹어보니 굉장히 달고 맛있었다. 아무래도 친구들
과 책임감을 갖고 매일 물을 주며 성장하는 과정을 함께
보았기에 그 맛이 더 훌륭하고 스스로도 더 뿌듯했던 것
같다.

·소감

 방울토마토는 상추와 함께 가장 애정이 많이 가는 작물이었다. 텃밭 활동을 시작하면서 처음 심은 작물이기에 더 관심이 갔고, 개인적으로 가장 인상 깊기 때문이다. 특히 맛있을 것 같다는 기대감에 빨리 자라길 바라며 텃밭 활동에 더욱 열심히 참여하는 계기가 되었다. 그렇게 조금씩 성장하던 방울토마토가 어느새 붉게 익어갈 때, 친구들과 함께 수확해 한 알씩 먹어본 그 경험과 맛은 아직도 잊히지 않는다. 또한 텃밭 활동에 참여하지 않은 학생들에게도 방울토마토를 나누어 주었는데, 다들 맛있다고 칭찬해 더욱 뿌듯했다. 처음으로 수확한 방울토마토는 이번 한 해를 통틀어 가장 뿌듯하고 보람찬 경험으로 남았다.

수박 키우기

이종혁

　수박은 다른 작물들과 비교했을 때 신비로운 느낌이 든다. 열매가 자라는 과정이 신기하고, 성장 속도도 너무나 빠르기 때문이다. 그리고 더운 여름을 시원하고 즐겁게 보낼 수 있는 수박은 먹을 때마다 한 번쯤은 직접 키워보고 싶다는 생각을 하게 만든다. 그런 소망을 품고 있던 중, 텃밭 활동을 통해 마침내 그 꿈을 이루게 되었다. 수박의 성장 과정과 수확하면서 느낀 감정을 적어보겠다.

　모종을 심은 후의 모습과 어린 수박의 모습이다. 내가 생
각했던 것처럼 수박은 성장 속도가 정말 빨랐다. 하루하루
마다 성장하는 모습을 보여, 매일 아침 수박이 얼마큼 자
랐을지 기대가 되었다.

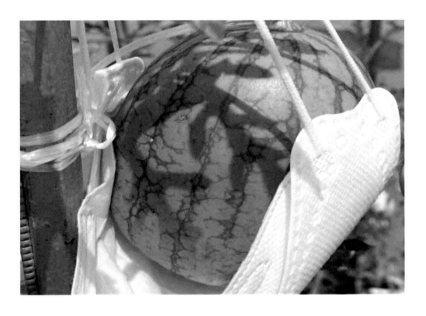

　훨씬 커진 수박의 모습이다. 더 크게 성장했으면 하는 마음에 물을 열심히 주었더니 수분을 많이 먹어 더 커졌다. 무거워지면 줄기가 끊어질 것 같아서 마스크를 활용해 수박 열매 받침을 만들어 주었다.

　수박이 너무 익어 스스로 터져버린(전문용어로 열과) 모습이다. 장맛비가 많이 와서 물을 한 번에 너무 많이 흡수해서 그렇다고 한다. 더 익으면 친구들과 함께 먹으려고 기다리고 있었는데, 방학 동안 수박이 터져 결국 먹을 수 없었다. 수박을 함께 나눠 먹을 생각에 들떠 있었는데, 그 기회를 놓쳐 너무 아쉬웠다. 이 수박은 마우스와 비교할 때 일반적인 수박보다 작은 크기였다. 다음에는 기네스북에 등재될 정도의 수박을 키워서 꼭 먹어볼 것이다.

·소감

 수박을 기른다는 이야기를 처음 들었을 때, 나는 정말 놀
랐다. 학교에서 그렇게 큰 수박을 기른다는 게 상상되지
않았기 때문이다. 하지만 알고 보니 큰 수박이 아니라 작
은 수박을 기른다는 사실에 조금은 멋쩍긴 했으나, 학교에
서 수박을 기른다는 자체가 놀라운 일이었다. 수박을 기르
기 시작했을 때, 나는 매우 기대되어 하루에도 몇 번씩 찾
아가 물을 주는 시기를 체크하며 관심을 기울였다. 이번
여름을 내가 기른 수박과 함께 시원하게 보낼 수 있다는
생각에 설렘이 가득했다. 수박은 점점 커져가며 그 모습을
드러냈고, 날이 갈수록 성장하는 모습에 신기함을 느꼈다.
방학 동안 친구들과 함께 수박을 먹을 생각에 개학을 기
다렸고, 개학 후 수박을 보러 학교에 달려갔다. 그런데 수
박이 없다는 사실에 매우 놀랐다. 텃밭 활동 선생님께 여
쭤보니, 수박이 개학 전 스스로 깨져버렸다고 했다. 친구들
과 함께 수확해 시원한 여름을 보낼 계획이었는데, 그 계
획이 무산되어 정말 아쉬웠다. 다음 기회에는 그 어느 수
박보다 큰 수박을 기르고, 친구들과 함께 보람찬 여름을
보내겠다고 다짐했다.

상추 키우기

강민제

　도시농업이나 텃밭을 떠올리면 가장 먼저 생각나는 작물은 상추다. 식물 키우기를 해본 사람이라면 한 번쯤은 상추를 재배해 봤을 것이다. 상추는 계절에 관계없이 재배할 수 있고, 햇빛과 물만 있으면 별다른 관리 없이 잘 자라서 초보자도 쉽게 기를 수 있다. 또한 상추는 활용도가 높고 다양한 음식에 어울려 우리의 식탁에서 자주 볼 수 있는 작물이다. 그래서 집에서도 많이 재배된다. 아래에는 친구들과 함께한 상추 재배의 모든 과정을 담아 보았다.

　모종을 심고 있는 모습이다. 허리를 숙여야 해서 조금 힘들었지만, 텃밭 활동 친구들과 함께해서 금방 심을 수 있었다.

　상추가 많이 성장한 모습이다. 처음 상추를 심었을 때만
해도 잡초가 이렇게까지 많이 자랄 줄 몰랐다. 그런데 날
이 지날수록 상추보다 잡초가 더 빠르게 자란다는 걸 알
게 되었다. 땡볕에서 쭈그려 앉아 땀을 뻘뻘 흘리며 잡초
를 많이 뽑았는데, 다시 생각해 보면 정말 끔찍할 정도로
힘들었다.

 상추가 많이 자라 수확하는 모습이다. 처음에는 상추의
수확량이 적을 것 같아 많은 친구들이 상추를 맛보지 못
할까 걱정했었다. 그러나 예상보다 많은 양을 수확해 안도
의 한숨을 내쉬었다.

·소감

　상추는 처음 심을 때부터 정말 기대되었던 작물이었다. 텃밭 첫날, 선생님께서 상추를 수확하면 고기 파티를 열어 친구들과 함께 회식하자고 하셔서 더울 설렘이 컸다. 또, 텃밭 활동 전에 친구들과 어떤 작물을 키울지 논의할 때 내가 상추를 제안한 것도 있어 더욱 애정이 갔다. 상추를 심을 때는 수확까지 오래 기다려야 할 것 같아 막막했지만, 상추는 예상보다 빠르게 자라 하루하루가 성장하는 모습이 매우 즐거웠다. 매일 아침 상추를 보러 가는 길이 기대됐다. 하지만 상추 옆에 자라는 그놈의 잡초를 정리하는 일이 쉽지 않았다. 아침마다 잡초를 정리해도, 다음날 또 자라 있는 모습을 보면 여간 힘든 게 아니었다. 그러나 결국 친구들과 함께 상추를 수확하고 고기 파티를 열어 싱싱한 상추를 맛볼 수 있었다. 고등학교 생활 중 또 하나의 행복한 추억이 생긴 순간이었다.

상추 수확 (7월)

쪽파 키우기

정민기

가을, 겨울쯤 상반기 농사가 끝나면 사람들이 쪽파를 가장 많이 심는다. 쪽파는 파김치나 파전으로 요리해 먹는 등 활용도가 매우 높으며 맛도 좋은 채소이다. 더불어 쪽파는 종구만 잘 골라 심으면 별다른 관리나 비료 없이도 잘 자란다. 이 덕분에 가을에 텃밭 활동 친구들과 함께 쪽파 종구를 심으며 수확한 기록을 설명해 보겠다.

　쪽파 종구의 모습과, 심은 후 성장 초기의 모습이다. 위의 사진처럼 쪽파는 다른 작물들과 다르게 알뿌리를 심어 재배한다는 것이 매우 특별하다. 처음에 종구를 심으면서 위로 쭉 뻗으며 자라는 것도 정말 매력적이었지만, 심은 지 얼마 되지 않았는데도 파 향이 진하게 나는 걸 보고 쪽파 기르기를 잘 선택했다고 느꼈다.

　조금 시간이 지난 뒤의 모습이다. 물을 열심히 주며 잘
자라도록 신경을 많이 썼는데, 노력만큼 잘 자란 것 같아
기분이 매우 좋았다. 그리고, 초반에 종구를 심으면서 비닐
멀칭을 해주었는데, 확실히 비닐이 있는 곳과 없는 곳의
잡초 차이가 너무 크다. 예전에 상추를 재배하면서 잡초가
너무 많아 고통을 받았었는데, 비닐 덕분에 잡초를 뽑는
일이 굉장히 줄어 쪽파는 다른 작물들보다 훨씬 수월하게
재배할 수 있었다.

　쪽파를 수확하고 있는 모습이다. 심은 쪽파 종구들이 대부분 잘 자라줘서 기분이 좋았다. 물론 텃밭 활동 친구들과 같이 쪽파들이 물도 열심히 주고, 잡초 관리도 해주었지만, 그 노력을 알고 쪽파도 열심히 자라준 거 같다는 생각에 더 뜻깊은 텃밭 활동을 한 것 같다.

　드디어 파전이 완성되었다. 수확한 파를 집에 가져가니 부모님이 전을 만들어 주셨다. 부모님이 해주셔서 그런지, 우리가 직접 수확한 파로 만들어서 그런지 모르지만, 평생 먹은 전 중 제일 맛있었다.

·소감

파는 처음 심을 때부터 굉장히 신선한 경험이었다. 밭에 비닐을 씌운 것도 텃밭 활동 경험과 내 인생에서 처음 경험한 일이었다. 그 후, 종구를 심었는데, 이 또한 매우 특이한 모양이었다. 보통 작물을 심을 때 씨앗이나 모종을 심는다고 생각했는데, 쪽파 종구처럼 알뿌리를 심다는 것 자체가 처음이라 더 흥미롭게 느껴졌다. 텃밭 활동에서 친구들과 함께 물을 주고 잡초를 뽑다 보니, 점차 종구에서 싹이 나고 파가 자라는 모습을 볼 수 있었다. 파는 심지어 수확할 때도 정말 재미있었다. 밑 부분을 잡고 쑥 뽑는 과정에서 스트레스도 풀리고, 순수한 재미가 커서 허리가 아픈 줄도 모르고 쭈그려 앉아 수확을 즐겼다. 수확한 파를 집에 가서 부모님께 보여드리니, 아주 잘 길렀다고 칭찬해 주셨고, 파전과 파김치 등 파를 활용한 요리를 해주셨다. 텃밭 활동을 통해 친구들과 함께 파를 기르고, 수확하는 과정에서 친목도 쌓을 수 있었다. 더불어 가족과 함께 파 요리를 먹으며 행복한 시간을 보낼 수 있어 매우 행복한 경험이었다.

열무 키우기

이강민

열무는 겨울, 가을 농사에서 배추와 더불어 많이 재배하는 채소이다. 텃밭 활동에선 처음으로 키운 뿌리를 먹는 작물이었는데, 우리는 다른 작물처럼 모종을 사용하지 않고, 씨앗부터 시작했다. 그래서 그런가 잘 자라지 않을 것이라 걱정이 되어 처음부터 마음이 복잡했다. 그러나 나의 걱정과는 다르게 열무가 잘 자라줘서 매우 뿌듯했던 열무 재배 과정을 설명해 볼까 한다.

　열무 씨앗의 모습이다. 열무는 다른 작물들과 다르게 직접 씨앗부터 키웠다. 씨앗을 키우며 모종을 직접 만들었는데, 모종이 햇빛을 많이 받지 못해 웃자라버려 결국 노력이 물거품이 되었다. 하지만 포기하지 않고 배웠다고 생각하며, 비닐 멀칭부터 다시 시작했다. 이후에 씨앗을 다시 뿌리고 비료를 주니 이게 무슨 일인가?! 이번엔 확실히 잘 자라기 시작했다. 이 과정을 사진으로 담지 못한 것이 아쉽지만, 열무는 하루가 다르게 성장했다. 역시 '무'라는 채소에 맞게 뭔가 단단하고 강력하다는 느낌이 들었다.

　다 성장한 열무의 모습이다. 잎 부분도 많이 자랐다. 실
제로 수확해서 확인해 보니 뿌리도 굉장히 커졌다. 처음에
수확하면서 어떻게 뽑아야 할지 고민이 되었는데, 텃밭 활
동 선생님의 설명 덕분에 열무의 손상 없이 수확할 수 있
었다.

·소감

 열무를 키우는 것은 새로운 경험이었다. 다른 작물들은 대부분 모종을 심었지만, 열무는 씨앗부터 시작했기 때문이다. 처음에는 모종을 직접 키워서 심으려 했으나, 모종이 제대로 자라지 않아 씨앗을 심고 키우게 되었다. 그 과정에서 이렇게 작은 씨앗이 큰 뿌리와 잎으로 자라는 모습을 보고 식물의 신비함을 다시 한번 느꼈다. 매일 빠르게 성장하는 열무는 어느새 수확할 수 있을 만큼 자랐다. 직접 뽑아보니 생으로 먹을 수 있을 만큼 싱싱하고 바르게 자라 있었다. 처음에는 모종이 잘 자라지 않고 씨앗으로 키워야 한다는 생각에 걱정을 많이 해서 그런지 내 자식이 자수성가 한 것처럼, 작물이 성장했을 때 더 뿌듯하고, 기분이 좋았던 열무 키우기였다.

텃밭의 3무 원칙 (6월)

고추 키우기

이종혁

고추는 상추와 더불어서 텃밭 키우기를 할 때 가장 대중적으로 많이 키우는 작물 중 하나다. 인터넷에서 조사했을 땐 키우기 쉽다고 했지만, 우리에겐 고추만큼 어려운 작물이 없었다. 고추를 재배한 땅에선 다음 해에 고추 농사가 어렵다는 것은 꼭 잊지 말아야 한다. 우리가 겪은 어려움과 그에 대한 해결책이 담겨 있는 고추 재배기를 이야기해 보겠다.

　　고추를 심은 지 얼마 안 된 초기의 모습이다. 이때, 현재
상태에서 성장이 정체되는 문제가 발생했다.

 원인이 뭔지 해결해 보기 위해 인터넷을 찾아보았다. 조
사한 내용을 토대로 재식재작업, 질소비료투입을 실시했다.
제발 시들지 않고 잘 자라주기를 기도하는 마음에 시간을
보냈다.

　이게 무슨 일인가! 친구들과 함께 찾은 방법을 사용했더니 고추가 성장하기 시작했다! 우리가 고민 끝에 내세운 해결책이 성공적으로 작동하기 시작한 것이다. 문제가 해결된 뒤에는 하루가 다르게 성장했고, 고추도 엄청 많이 열렸다. 수확 후 고기파티와 함께 맛을 보았는데, 시장에서 파는 것보다 훨씬 맛있었다. 텃밭 활동 중 가장 보람찬 순간이 바로 이때였다.

·소감

고추를 기르는 것은 정말 많은 어려움이 있었다. 본문에도 나와 있듯이, 고추는 한동안 정체되어 잘 자라지 않았고, 이를 해결하기 위해 친구들과 머리를 맞대고 고민했다. 지금 생각해 보니, 친구들과 선생님의 도움이 정말 큰 힘이 되었던 것 같다. 한 친구는 질소비료에 대해 인터넷에서 공부하고, 연구해 오기도 했다. 그 모습을 보며 나도 작물을 소중히 여기고, 더 열심히 돌봐야겠다고 다짐했다. 그 결과 고추는 잘 자라서 고기 파티 때 친구들과 함께 수확해 맛있게 먹을 수 있었다. "고생 끝에 낙이 온다"라는 말이 이런 상황에 딱 맞는 것 같다. 또한, 고추를 기르면서 나의 고등학교 생활에 생기를 불어넣어 준 것 같아 너무 뿌듯했고, 친구, 선생님과 함께 소중한 추억을 만들 수 있어 정말 좋았다.

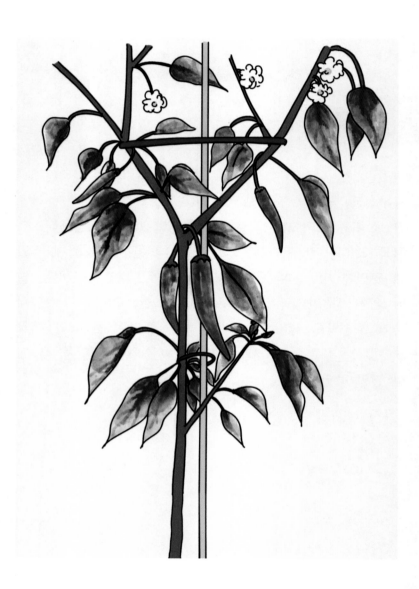

오이, 가지 키우기

정민기

  오이, 가지는 우리 식탁에서 자주 볼 수 있는 식재료 중 하나다. 오이 같은 경우는 물만 주어도 쑥쑥 자라기에 초보자도 걱정 없이 키울 수 있고, 가지는 볶음, 튀김, 조림 등 다양한 식재료로 활용할 수 있다. 이번 재배는 다른 작물과 달리 별다른 문제 없이 가장 수월하게 진행된 작물이다. 그 스토리를 지금부터 설명해 보겠다.

잘 자란 오이의 모습이다. 그냥 물만 열심히 주었을 뿐인데, 이렇게 잘 자라 있다. 이 정도로 빠르게 자랄 줄은 몰랐는데, 진짜 비료도 필요 없다 보니 가성비도 좋으며, 초보자도 걱정 없이 기를 수 있는 작물이 맞는 것 같다.

　다 자란 가지의 모습이다. 오이랑 같이 재배했다. 오이랑
가지 둘 다 엄청나게 정성 들여 키우지 않은 거 같지만
상당히 잘 자라주었다. 너무 고마웠다.

·소감

　오이와 가지는 키우기 정말 쉬웠다. 심고 물만 열심히 주면 잘 자랐다. 덕분에 열무나 쪽파처럼 다른 작물에 더 많은 시간과 정성을 들여서 모든 작물이 잘 자랄수록 도와줄 수 있었다. 오이와 가지는 특별히 많은 정성을 들이지 않았음에도 불구하고 빠르게 성장했다. 가지는 수확해 요리할 상황이 아니었지만, 오이는 수확해 친구들과 나누어 먹었다. 더운 날씨에 목이 말라 가던 차, 오이를 먹고 시원하고 촉촉한 하루를 보낼 수 있었다.

병충해 및 성장장애

서경원

  농사하면 빼놓을 수 없는 것, 바로 병충해이다. 모든 농부에겐 무조건 거쳐야만 하는 관문이라고 해야 할까? 여하튼 피할 수 없는 시련이다. 우리도 다양한 병충해를 겪었다. 진딧물, 세균성 질병, 성장장애 등 생각만 해도 끔찍하다. 지금부터 소개해 보겠다.

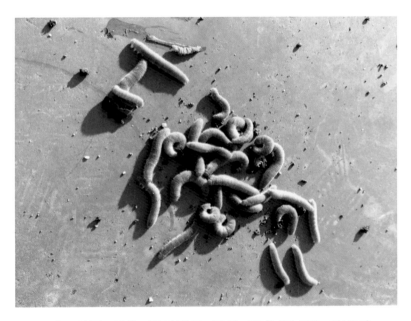

▲ 열무 잎을 갉아먹고 자란 배추흰나비 애벌레

·진딧물

 병충해의 대표주자다. 정말 끔찍하다. 식물들의 진액을 빨아먹으며 식물을 서서히 고사시킨다. 빠르게 번식하기 때문에 빠른 대처를 하지 않으면 하루아침에 식물 전체에 퍼지는 것은 당연지사다. 겨자채가 진딧물에 피해를 입은 작물이다.

 우리가 재배한 겨자채의 모습이다. 겨자채를 재배한 텃밭 하나에 진딧물이 모두 퍼졌고 모든 잎 전체에 구멍이 송송 뚫렸다. 아세타미프리드 성분 농약(모스피란)을 사용해서 방제하였다. 2주 간격으로 2번에 걸쳐 살포했다.

·세균성 질병

정말 답이 없는 놈이다. 진딧물의 경우는 처음부터 바로 확 퍼지진 않는다. 그러나 이 질병의 경우는 어느 날 식물을 보면 잎이 까맣거나 노랗게 변해있고 같은 흙에 심은 모든 식물에 퍼져있다. 세균성 질병의 원인은 토양 과습, 외부로부터의 감염 등 다양한 요인들이 있다. 내가 진단한 것은 외부로부터의 감염이었다. 토양 자체는 그렇게 습하거나 하지 않았기 때문이다. 농약과 영양제를 분무기로 살포하였고 감염된 부위를 제거했다. 2번 정도 살포하니 방제에 성공했다.

· 성장장애

 분명히 모종을 심은 지 한 달이 지나고 두 달이 지났는데도 불구하고 고추가 아예 자라지 않는 현상을 발견했다. 분명 자라야 하는데 왜지? 라는 생각이 들었다. 각종 문헌과 농업지원청에서 정보를 찾아보니 질소 부족, 잘못된 식재 방법이 문제라는 것을 진단했다. 요소질 비료를 구매해 물에 녹여 시비했으며 너무 깊게 심은 모종들을 뿌리를 다시 정리에 재식재하는 작업을 거쳤다.

텃밭 활동 이후

· 고기파티(김유빈)
· 바질패스토 만들기(김유빈)
· 바질 파스타(변휘재)

고기 파티

김유빈

힘든 활동들 끝에 드디어 텃밭에서 농작물들을 수확했다. 그리고 기다리고 기다리던 고기 회식을 하게 되었다. 그러나 고기 회식, 장소 세팅부터 직접 하려니 처음부터 굉장히 힘이 들었다. 옥상 한쪽에 있는 잡다한 것들을 치우고 바닥을 닦았다. 흙먼지가 많이 쌓여있어 매우 힘든 작업이었다.

어느 정도 먼지를 닦아낸 후 아래 교실에서 책상들을 가져와 세팅했다. 책상을 들고 옥상까지 오르려니 팔이 굉장히 아팠다. 여기서 끝이 아니었다. 옥상 창고에 있던 천막을 꺼내와 설치까지 했다. 맛있게 즐기기만 할 줄 알았는데, 역시 세상에 공짜란 없었다.

최종적으로 세팅을 완료한 모습이다. 비록 설치 과정이 힘들었지만, 이렇게 하니 분위기도 나고 해서 나쁘지 않은 기분이었다.

이후 텃밭 활동을 한 친구들이 모두 모이자, 불판에 고기를 올렸다. 고기 냄새는 항상 기분을 좋게 만든다. 어느새 고기가 노릇하게 익어 우리가 직접 키운 상추에 한 점 올려 크게 한 입 먹었다. 직접 키워서 그런지 상추 자체로도 매우 맛있었다. 그렇게 한 쌈 크게 먹은 후에는 직접 키운 고추도 쌈장에 찍어 한 입 했다. 매콤하니 입맛을 더욱 끌어올렸다.

친구들과도 함께 먹으니 더욱 맛있었던 거 같다. 모두 함께 고생하니 즐거울 때도 그 즐거움이 두 배였던 거 같다. 고3 담임 선생님들도 많이 참석하셨는데, 함께 고기를 구워주셔서 더욱 뜻깊었던 거 같다.

대부분이 처음 농사를 지어보니 어떻게 할지 몰라 처음에 되게 고생을 많이 했었다. 조금 익숙해진 뒤에는 잡초도 많이 자라고 해 일이 더 많아 더욱 고생했었다. 하지만 이렇게 다 같이 모여 고기를 구워 직접 키워낸 작물과 함께 먹으니, 그간의 고생이 조금은 씻기고 앞으로의 텃밭 활동을 더욱 기대하게 했던 거 같다. 정말 행복한 회식이었다.

바질 페스토 만들기

김유빈

힘든 고3 생활을 텃밭활동으로 버틸 수 있었다. 방과 후 나 점심시간에 즐기는 텃밭활동은 어느새 내 삶의 활력소가 되어있었다. 그중 가장 인상 깊은 활동을 뽑으라면 나는 직접 키운 바질로 바질페스토를 만들어 학교축제때 부스 활동을 한 것이다. 활동에 대해 더 자세히 소개하겠다.

우리는 축제 전날에 모여 진행방식, 준비물 대해 의논하였다. 필요한 재료를 생각해보았다. 바질, 마늘 올리브오일, 파르메산 치즈(아 지금 생각해보면 레몬을 놓쳤다)를 준비했다.

바질페스토 담당을 4명으로 정했다. 재료 준비 담당, 페스토 만들기 담당 ,믹서기 담당, 만든 페스토를 과자 위에 올리는 담당으로 나누어 배치했다.

▲부스 활동을 하고 있는 우리의 모습이다.

부스운영 당일 우리는 일찍 학교에 와 준비했다. 재료를 옮긴 다음 순서대로 재료를 배치하고 연습용으로 페스토를 만들어 보았다. 이후 만든 친구들과 담당 선생님과 맛을 보았다. 그런데 먹은 친구들 대부분 "맛이 없다", "맛이 쓰다"라고 하였다.

이유를 찾아보다 바질 줄기가 쓰다는 사실과 바질 잎만 써야 맛있는 바질 페스토가 만들어진다는 사실을 알아냈다. 이후 바질 잎만으로 만든 페스토는 처음보다 훨씬 색과 맛이 좋아졌고 바질페스토는 성공적으로 만들게 되었다.

▲ 부스 활동 중인 모습. 허브 화분을 만들고 있다.

▲ 수확한 작물과 허브에 대해 소개하는 활동

바질 파스타

변휘재

　그동안 열심히 키운 바질을 드디어 수확했다. 선생님 두
분을 포함해 총 6명이 함께 수확했다. 어린잎은 더 자라도
록 남겨두고, 줄기가 손상되지 않도록 조심스럽게 수확했
다. 사진에서 볼 수 있듯이 바질은 푸르고 건강하게 자랐
다. 이렇게 오랜 시간 동안 열심히 키운 바질을 수확하니
후련하면서도, 마음 한편으로는 아쉬움이 남았다.

　바질을 수확하고 씻기 전의 모습이다. 전에 학교 축제를 진행하며 사용한 바질로 인해 파스타에 넣을 양이 부족할까 걱정했지만, 다행히 수확해 보니 양이 충분했다. 이렇게 모인 바질을 보니 머릿속에 바질 페스토를 만들어 파스타 먹을 생각에 기대로 가득 찼다.

　바질 파스타에 넣을 바질 페스토를 만들기 위해 씻은 바질을 믹서기에 넣고 갈고 있는 모습이다. 바질 페스토는 재료를 넣고 믹서기로 갈기만 하면 되어서 생각보다 간단하게 만들 수 있었다. 처음 향을 맡았을 때는 맛이 없을 것 같다고 생각했다. 왜냐하면 허브를 먹어본 적이 많이 없었고, 향신료를 별로 좋아하지 않기 때문이다. 그러나 막상 시식해 보니 바질 특유의 향이 매력적이었고, 올리브유와 마늘이 잘 어우러져 훨씬 맛있었다.

　면을 삶고 식힌 뒤, 바질 파스타를 만들고 있는 모습이다. 파스타 면을 식히는 이유는 뜨거운 면에 바질 페스토를 넣으면 바질의 맛이 변질되기 때문이다. 면이 식은 후, 올리브 오일과 바질 페스토를 넣고 비비면 파스타가 완성된다! 생각보다 간단해서 놀랐다. 파스타는 보통 많은 재료와 여러 조리 과정을 거쳐야 할 것 같았는데, 이번에 바질 파스타를 만들면서 복잡하지 않으면서도 신선한 맛을 낼 수 있다는 점에서 또 한 번 바질의 매력을 느꼈다.

　친구들과 함께 키운 바질로 만든 파스타를 기념하여 바질 파스타 그림을 그려봤다. 초록색 파스타는 처음이라 낯설었지만, 맛은 정말 좋았다. 면을 삶을 때 소금을 넣어서 간이 부족했지만, 그 덕분에 바질의 향을 진하게 마실 수 있어 좋았다. 첫 입은 "이게 무슨 맛이지?"라는 생각이 들었지만, 점점 시간이 지날수록 바질 페스토의 향과 파스타의 맛이 어우러져 바질 특유의 매력을 제대로 느낄 수 있었다. 수확한 바질로 친구들, 선생님들과 함께 돈으로 살 수 없는 소중한 추억을 만든 경험은 아직도 잊을 수 없다.

텃밭 활동
다른 이야기들

· 마인크래프트 속 농사(김현빈)
· 다양한 게임 속 농사(임현우, 남태현)
· 식물 종이접기(양민종)
· 농사 관련 보드게임(양민종)
· 시와 그림(나한솔)

마인크래프트 속 농사

김현빈

마인크래프트 속 농사는 실제 삶과 비슷한 부분이 상당히 많다. 게임에 대해 알아보며 실제 농사와 유사한 부분을 찾아보자. 기본적인 벼농사부터 시작해 호박농사까지 소개해보겠다.

·밀농사

마인크래프트 농사 중 가장 기본적인 농사이다. 잔디 블록을 부숴 씨앗을 얻은 뒤 경작된 땅에 심는 아주 간단한 방식이다.

 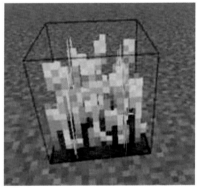

▲ 밀의 성장과정을 담은 사진

9단계로 성장하며, 성장하기 위해서는 현실 시간으로 31분, 게임 속 시간으론 1.5일이 걸린다. 현실에서 밀은 자라는데 88일 정도 소요 된다고 한다.

게임 속 밀도 현실 속 밀처럼 다양하게 이용된다. 가축에게 먹이로 주어 번식을 시키는 것은 물론. 빵, 케이카, 쿠키 등의 기본적인 식량을 만들어 게임의 초반 생존에 매우 유용하다.

· 감자농사

마인크래프트에서 벼 다음으로 많이 재배하게 되는 작물이다. 실제 농사와 마찬가지로 씨감자 를 심어 재배하는 것이 특징이다.

생감자 하나를 심어 3개의 수확물을 얻을 수 있으며, 평균치가 다른 작물보다 높아 효율이 매우 좋다. 구황작물의 힘은 게임이나 현실이나 역시 위대한 듯하다.

생감자 하나를 심어 3개의 수확물을 얻을 수 있으며, 평균치가 다른 작물보다 높아 효율이 매우 좋다. 구황작물의 힘은 게임이나 현실이나 역시 위대한 듯하다.

감자 중에는 2% 확률로 독이 든 감자가 나온다. 실제 감자가 싹이 나면 독성을 가지는 특성을 반영한 점이 매우 재밌다. 게임 속에선 감자를 통해서 구운 감자를 만들 수 있다. 구하기 쉬우나 포만감을 많이 주기에 굉장히 좋은 식량이다.

▲ 독이 든 감자 사진
(색깔부터 참 이상하다.)

·호박 농사

호박은 다른 작물들과 다르게 줄기가 자라 옆 칸에 작물
이 맺히는 것이 특징이다. 야생에서 호박을 찾은 후 씨앗
을 얻어 심는다.

게임적 요소로 호박은 철 골렘과 눈 골렘(눈사람)을 만드
는 데 쓰인다. 또한 호박 렌턴을 만들어 횃불보다 높은 밝
기를 가진다.

계란, 설탕과 조합해 호박파이를 만들어 먹을 수 있으며
조각해 머리에 투구 대신 쓸 수도 있다.

다양한 게임 속 농사

임현우, 남태현

 농사와 관련된 여러 가지 게임들을 알아보았다. 파밍시뮬레이터, 스타듀벨리, 천수의 사쿠나히메이다. 정말 이름만 들어도 농사의 기운이 느껴진다. 자세히 알아보도록 하자.

·파밍시뮬레이터

 아주 유명한 농사게임이다. 직접 농장의 경영주가 되어 농장을 운영해 보는 경험을 할 수 있는 게임이다. 기후, 날씨, 토양, 병해충 등의 각종 요소를 실제와 거의 유사하게 재현한 점이 매우 인상 깊은 게임이다. 전세계적인 인기를 누리고 있으며 특히나 유럽 그중에서도 독일에서 유저 수가 많다고 한다.

▲ 인게임 플레이 장면 중 일부

 최근에는 이 인기에 힘입어 이스포츠 리그까지 출범해 현재 성황리에 운영 중이라고 한다. 우승상금은 25만 유로(한화로 약 3억 7천만원)라고 하니 그 인기가 느껴지는 부분이다.

▲ 대회에서 장비를 고르는 모습이다. 짧은 시간 안에
밀 뭉치를 많이 쌓는 것이 중요하다.

· 스타듀벨리

 본격 시골에서 농사짓기! 이 말 한마디로 표현 가능한 농사게임이다. 1인 개발자가 만든 인디게임으로 단순 농장 경영게임이 아닌 npc와의 상호작용을 통한 롤플레잉적인 요소가 합쳐진 게임이다.

 농사에 대한 고증이 철저하다. 앞서 얘기했던 마인크래프트와 다르게 계절별 작물이 구별되어 있으며 그 종류도 상당히 많다. (약 50가지 정도가 있다고 하니 매우 많다.)

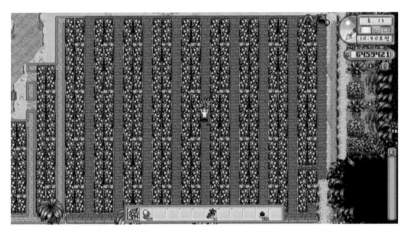

▲ 인게임플레이 장면. 엄청난 대농장이다.

수확한 작물을 이용해 다양한 음식과 음료를 만들 수 있고, 판매도 가능하다. 농사뿐만 아니라 이상적 인 농촌의 모습이 잘 나타나 있는 게임이다. 지역 축제, 각종 이벤트, npc와의 결혼, 친구관계 등이 매우 잘 구현되어 있다.

·천수의 사쿠나 히메

 이 게임은 일본풍 롤 플레잉 게임이다. 게임은 단순 반복의 작업이 대부분인데, 노력의 과정을 확실하게 보상해 주는 시스템이 게임을 열심히 하게 되는 원동력이 된다. 매년 농사를 할 때마다 강해지는 주인공과, 이를 바탕으로 진출한 새 지역에서의 재료로 농사가 시작된다. 이러한 게임을 즐길수록, 수확의 기쁨과 함께 풍성한 보상과 성장을 제공하는 것이 이 게임의 매력이라고 할 수 있다.

그와 더불어 디테일한 벼농사와 볍씨 선별 작업, 흙 고르기 등 농업에 관한 과정들을 매우 구체적으로 표현해 놓았는데, 벼농사 과정의 핵심인 4가지 장면을 지금부터 살펴보겠다.

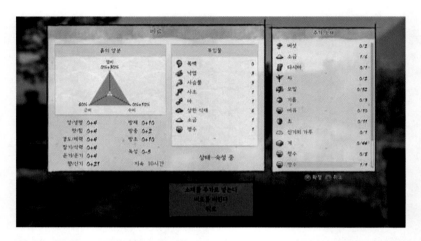

① 육모

　육모는 다가오는 봄에 맞춰 모내기할 수 있도록 미리 모
를 키우는 단계다. 촘촘하게 뿌려서 벼의 수량을 늘릴지,
성기게 뿌려서 벼의 품질을 올릴지 선택할 수 있다.

② 볍씨 선별

볍씨 선별이다. 질 좋은 볍씨를 골라내는 것이 이 작업의 핵심이다. 선별하는 방법은 볍씨를 물에 담근 후 물에 진 흙이나 소금을 섞어 밀도가 낮은 볍씨를 골라내는 원리이 다. 볍씨 선별이라는 말을 처음 들었을 때, 하나하나 세는 줄 알았는데, 이렇게 과학적인 방법을 사용하는 것을 보고 무지 신기했다.

③ 모내기

우리가 가장 잘 알고 있는 모내기다. 적당하게 촘촘하게
심을수록 양이 많아지고, 성기게 심을수록 품질이 오른다.
현실 모내기처럼 구체적이라 게임을 대충할 수가 없었다.

④ 탈곡과 도정

　탈곡과 도정은 벼를 수확한 뒤 하는 작업이다. 탈곡은 벼
나 보리 등의 곡립을 볏짚이나 이삭으로부터 분리하는 것
이다. 이후 도정을 하는데, 도정은 벼를 찧어 쌀로 만드는
것이다. 수확한 뒤 바로 해야 해서 매우 바빴다.

　이러한 과정을 반복하면 되는 게임이다. 액션도 가볍게
즐길 수 있는데, 무엇보다 노력한 만큼 보상을 주는 시스
템은 농사를 즐길 수 있도록 포인트를 살려 훌륭하게 구
현한 것 같다.

식물 종이접기

양민종

나의 고등학교 생활이 얼마 남지 않았을 때, 텃밭 활동에 가입하게 됐다. 처음 작물을 키울 때 너무 더워서 땀을 뻘뻘 흘리기도 했고, 너무 열심히 한 탓에, 손과 옷에 흙이 묻어갔다. 그러나 이 활동은 점점 끝나가는 고등학교 생활을 조금이나마 더 알차게 보낼 수 있었다. 그런 의미에서 나의 학교생활에 원동력이 되어준 작물과, 내가 제일 좋아하는 식물을 종이접기로 소개하려고 한다. 이 책을 보고 있는 여러분도 같이 종이접기를 따라 하며, 내가 겪었던 것처럼 현재 삶의 원동력이 되어 전보다 알차게 보냈으면 좋겠다.

식물 종이접기

STEP 1. 수박

①

빨간 종이와 초록 종이를 각각 4등분 한다.

②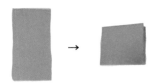

4등분 된 초록 종이를 반으로 접은 후,
한 번더 반으로 접어준다.

③

모서리를 조금 접어준 후 펼쳐준다.

④

빨간 종이를 삼각형으로 2번 접어준다.

⑤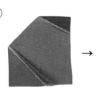

접어진 삼각형의 모서리를 접고, 완전히 핀다.
핀 다음 접힌 선에 따라 모서리를 접어준다.

⑥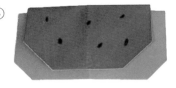

초록 종이와 빨간 종이를 겹쳐준다. 씨앗을
표현하기 위해 점을 찍어주면 완성이다.

식물 종이접기

STEP 2. 도토리

①

색종이를 4등분 한다.

②

중앙을 향해 위쪽 두 모서리를 접는다.

③

뒤집은 뒤, 밑 부분을 절반 접어준다.

④

다시 뒤집고, 중앙으로 모아 접는다.

⑤

도토리 내꺼

모서리를 조금 접은 뒤, 뒤집으면 도토리 완성이다.

농사 테마 보드게임

양민종

 농사 테마 보드게임으로 보난자를 소개하겠다. 보드게임계의 거장 우베 로젠버그가 디자인한 농사 테마의 독일형 셋 콜렉션 카드 게임이다. 보난자의 뜻은 독일어 Bohne(콩)과 스페인어 Bonanza(번영)의 합성어를 뜻한다, 즉 이 게임을 쉽게 설명하면, 콩 농사 +경영 게임이다.

▲보난자에 있는 콩들 도합 12가지이다.

·게임 방법

　먼저 플레이어 수만큼 밭 종이를 깐다. 각 플레이어는 콩 카드를 5장씩 나눠 가진 후 중간에 남은 것은 카드더미에 쌓아둔다.

　플레이어는 손에 든 카드의 순서를 바꿀 수 없으며 자신
에 턴에 가장 오른쪽 카드는 무조건 심어야 하며 그 옆에
카드는 심을지 말지를 결정한다.

심는 과정이 끝나면 더미에서 두 장을 뽑아 가운데에 두고 다른 플레이어와 교환하거나 자신에 밭에 심는다. 이과정은 매우 자유롭다.

콩 카드 하단에 나와 있는 숫자와 코인은 모은 장 수에
따른 코인 개수이다.

콩 카드를 뒤집으면 코인이 된다. 이 과정을 거쳤으면 턴
을 끝내고 더미에서 3장을 순서대로 가져간다. 더미가 3
번 없어질 때까지 반복한다.

·승패 결정

 게임이 끝나면 각 플레이어들이 모은 모든 코인의 개수를 세어 가장 많은 코인을 모은 플레이어가 승리하게 된다.

보난자를 플레이할 때 중요한 점은 다른 플레이어와의 활발한 교류이다. 보난자는 플레이 동안 손에 든 카드의 위치를 마음대로 바꿀 수 없기 때문에 다른 플레이어와 콩을 교환하며 손에 든 패의 순서를 유리하게 만들어 나가는 것이 정말 중요한 게임이다.

모두 콩 심은데 돈 나는 게임, 보난자를 해보길 바란다.

시와 그림

개화

나한솔

보잘 것 없는 씨앗 하나가
지상에 뿌리를 내린다
그 뿌리는 땅속을 헤쳐나가며
자신의 기반을 다진다
그 후 자라난 가지는
하늘의 빛을 향해 뻗어 나간다
이 오랜 여정 끝에
비로소 씨앗은
자신만의 색을 찾아내
아름다운 꽃을 피우고
사람들은 이를 개화라 부른다

이는 사람도 마찬가지다
가정이라는 땅에 뿌리를 내리고
부모의 사랑 속에 자신을 다지며
세상이라는 하늘을 향해
자신만의 길을 찾아 나아간다
그 과정 속에서 사람은
자신만의 빛을 찾고

그 빛을 통해
자신만의 꽃을 피워낸다

하지만 꽃이 피는 시기는
각기 다르기 마련이다
따라서 다른 사람과 자신을 비교하는 것은
어리석은 일이다
누군가가 더 빨리 꽃을 피운다 해도
끊임없이 자신만의 길을 걸어간다면
결국 모든 이가
자신만의 꽃을 개화할 것이기 때문이다.

·창작 동기

꽃이 자신만의 속도대로 천천히 개화하는 것을 보며, 인가
또한 언젠가 재능의 꽃을 개화할 수 있다는 생각이 들었
다. 이를 바탕으로 온갖 역경이 다가온다고 하더라도 끝에
는 재능의 개화라는 아름다운 현실이 기다리고 있음을 시
사하여 학생들이 현실에 쫓기지 않고 자신이 꿈꾸는 미래
를 위해 살아갔으면 좋겠다는 생각이 들어 이 시를 창작
했다.

민들레 홀씨

나한솔

자신의 생명을 담은
씨앗을 바람에 실어
세상에 흩뿌린다
그 씨앗들은
대지에 내려앉아
새 민들레로 피어난다
이는 어미의 흔적을 잇고
자신의 흔적을 남기기 위한
마지막 선택이다

하지만 때로 사람들은
홀씨를 짓밟아
씨앗의 생명을 앗아간다
그럼에도 살아남은 씨앗은
아픔을 품고
다시 바람에 몸을 맡긴 채
새로운 보금자리를 찾는다
다시 한 번
자신의 흔적을 남기기 위해

·창작 동기

민들레 홀씨가 자신의 번식을 위해 씨앗을 세상에 흩뿌리는 것을 보며, 자신의 존재가 잊히지 않기 위해 끝없이 노력하고 있다는 생각을 하게 되었다. 그러나 사람들이 민들레 홀씨의 씨앗들을 날리는 것에 재미를 느껴 발로 짓밟는 행위를 한다는 사실을 알게 되었고, 민들레 홀씨 또한 생명체로서의 존중을 받았으면 좋겠다는 생각이 들었다. 그래서 이 시를 창작함으로써 독자에게 민들레 홀씨에 대한 정보를 제공하며, "자신의 흔적을 남기기 위해"라는 구절을 통해 민들레 홀씨를 짓밟는 것에 대한 죄책감을 일깨우고 민들레 홀씨라는 작은 생명체도 존중할 필요가 있음을 알리고 싶었다.

활동 후기

이강민

1년 가까이 되는 짧다면 짧고 길다면 긴 시간 동안 텃밭 활동을 했다. 사실 처음 텃밭 활동을 제안받았을 때, 거절하려고 했었다. 고생길이 훤했기 때문이다. 이거 잘못 걸리면 고된 노동에 지쳐 쓰러지고 말 것이라고 확신했었다. 하지만 결국 활동에 대한 호기심이 이 걱정을 눌러버렸다. 그리고 당연히 첫날 굉장히 후회했었다. 그렇게 힘들 수가 없었다. 하지만 다시금 그때를 떠올려 보면, 막상 그렇게 힘들지는 않았던 것 같다. 기억이 미화되어서 그런 것 같기도 하지만, 아무튼 지금은 행복한 기억이 힘든 기억보다 많은 것은 사실이다. 다들 처음하는 텃밭 활동으로 서두른 탓에 실수가 넘쳤지만, 그 실수마저도 즐거웠다. 아마 힘든 고3 생활에 있어서 조그마한 숨구멍 같은 역할을 해주었던 거 같다. 가만히 잡초를 뽑고 물을 주는 등 텃밭을 가꾸고, 다 함께 웃는 그 시간만큼은 고뇌에서 빠져나올 수 있었다. 또 평상시에는 작물에 대해 "언제 그걸 키우고 있어?"라고 생각해서 사 먹기만 했을 작물들을 직접 키워 수확해 다 같이 나누어 먹으니 색다른 경험이었다. 옥상에서의 고기 파티는 나중에도 가끔 생각날 듯하다. 다음에 기회가 된다면 텃밭을 가꾸고 수확의 기쁨을 다시 느껴볼 수 있으면 한다. 정말 즐거운 1년이었다.

마지막 한 마디

30101 공정웅
- 무럭무럭 잘아나다

30112 서경원
- 작물들을 어떻게 키우는 지, 어떻게 자라는 지, 무엇이 필요한 지등 다양한 지식들을 얻어갈 수 있는 활동이였다. 고등학교3년동안 제일 뜻깊은 시간인거같다.

30115 오서원
- 텃밭 활동을 하며 협동의 중요성에 대해 느끼고 다양한 작물을 기르며 보람을 느끼게 되었습니다. 정말 좋은 경험이었습니다.

30213 이강민
- 텃밭 활동을 하면서 정말 좋은 추억을 많이 쌓았습니다. 선생님 그리고 친구들에게 모두 감사합니다.

30201 강민제
- 이정섭 선생님 덕분에 생명의 소중함과 식물을 키움으로써의 뿌듯함을 배울 수 있어 너무 좋았습니다

30117 이종혁
- 농경에 대해 배워가는 깊이 있는 시간이었습니다.

30208 변휘재
- 고등학교 생활이 끝나갈 무렵, 텃밭 활동을 하며 친구, 선생님 분들과 함께 추억을 보낼 수 있어 영광이었습니다.

30222 황문성
- 식물이 자라는 과정에서 많은 인내와 노력이 필요하고 노력한 만큼 값진 결과가 나올 수 있다는 걸 깨달았어요!

30414 정민기
- 인생은 식물이다. 성장하기 때문이다.
-

30605 김창희
- 텃밭! 봄이 다시 돌아오면 보자꾸나.

김영범 선생님
- 화분을 정리하고, 흙을 섞고, 모종을 심고, 잡초를 뽑고, 벌레를 잡는 모든 과정을 지켜봤습니다. 여러분들의 관심이 없었다면 식물들은 잘 자라지 못했을 것입니다. 사람도 마찬가지입니다. 식물에게 그러했듯이 주변에도 따뜻한 관심을 나누어주는 사회인이 되세요.

30413 장비오
- 고3을 보내면서 잠깐이었지만 힐링이 될 수 있었던 좋은
  경험이었습니다. 굴러온 돌처럼 들어와서 얼마 안 있었
  지만 다들 잘 반겨줘서 너무 고마웠어

박순옥 선생님
- 학교 옥상, 뜨거운 태양, 그리고 빛나고 푸르른 젊은 농
  부들! 싱그러운 텃밭의 생명들과 학생들의 아름다운 조
  화였습니다. 수고하셨습니다.

전원영 선생님
- 광성 농부 학생들의 활기찬 모습을 보며 지내다 보니 벌
  써 한 해를 보내게 되었네요. 한창 밥먹고 뛰어 놀거나 공
  부에 지쳐 잠을 자는 시간에 옥상까지 오르락 내리락 하며
  모종과 씨앗을 심고, 유난히 무더웠던 여름에 풀을 뜯어주
  며 물을 주며 자라나는 식물들을 보며 자식 키우듯 뿌듯하
  게 지켜 보는 모습이 대견하더라구요. 1년의 수확이 선생
  님과 학생들의 땀으로 이루어 책으로 나온다니 진심 축하
  드리고 저 또한 올 해 학생들을 기억할 것 같네요^^

이정섭 선생님
함께 참여한 모든 학생들 그리고 사진과 그림, 음식 준비
등 다방면으로 도와주신 사서샘들께도 깊이 감사드립니다.

편집 후기

드디어 책의 마지막 부분에 도착했습니다.

여러분은 이 책을 읽으며 어떤 생각이 들었나요? 제가 이 책의 편집을 맡았을 때, "내가 과연 잘할 수 있을까?", "내가 편집할 능력이 있을까?"라는 걱정을 했습니다. 사실 저는 평소에 글을 잘 쓴다는 소리도 들어본 적 없고, 이번이 책 편집 작업 첫 번째이기 때문이죠. 그래서 저는 한 가지의 목표를 정했습니다. "이 책의 목적에 맞는 책을 만들자." 이후 목적을 "학생들의 학교 텃밭 이야기"로 정했습니다. 따라서 처음 편집 작업을 시작했을 때 작물에 대한 구체적인 설명 보다, 우리가 학교 텃밭 활동에서 겪은 경험과, 작물을 기르면서 느낀 감정들을 가장 중요하게 다루고자 했습니다. 여러분이 이 책을 읽으면서 제가 전하고자 했던 목적과 의미가 제대로 전달되어 학생들의 경험을 글로나마 간접적으로 체험해 보셨다면, 저에게 잘했다고 한 마디씩 칭찬해 주세요.

여러분에게 식물이란 무엇인가요? 물을 줘야 하는 귀찮은 존재인가요, 아니면 심리적 안정감을 주는 특별한 동반자인가요? 저에게 식물은 배우고 깨달음의 기회를 주는 존재였습니다. 책에서 제가 경험했던 바질 기르기가 나오는데요, 그 과정에서 가장 크게 배운 점은 '관심'의 중요성이었습니다. 관심이 부족하면 식물이 제대로 성장하기 어려운 것처럼, 인간관계에서도 서로를 축하하거나 어려운 상황에 무관심하는 등 관심을 가지지 않으면 좋은 관계를 만들 수 없을 것이라 생각했습니다. 왜냐하면, 인간만이 다른 사람들의 아픔에 공감하고, 도와줄 수 있는 유일한 생물이기 때문이죠. 현재 사회는 개인주의가 점점 늘어나고 있어 이런 관심과 공감은 점점 사라져 가는 듯합니다. 그렇기 때문에 누군가의 작은 관심이 모여 따뜻한 에너지가 퍼진다면, 우리 모두가 공존하는 사회를 만들어 갈 수 있으리라 생각합니다. 이처럼 식물은 생각의 방향을 자유롭게 해주는 '특별한' 존재입니다. 이 글을 읽고 있는 여러분들도 한 번 식물을 길러보면 어떨까요? 작은 씨앗에 애정을 쏟고, 그 성장을 지켜보며 수확의 기쁨을 느껴보세요. 그 과정에서 많은 것을 배우고, 느끼고 경험하게 될 것입니다. 그리고 그 깨달음이 우리 일상과 관계 속에서도 새롭고 아름다운 의미를 더해 줄 거라 믿습니다.

　이런저런 이야기를 나누다 보니, 식물은 사람 마음속 깊은 곳을 어루만지고 북돋아 주는 존재인 것 같습니다. 식물을 기르면, 여태껏 겪어보지 못한 새로운 경험을 하고, 생각도 한층 깊어지니 말이에요. 텃밭 활동을 시작하면서 책 편집을 맡기까지 정말 많은 순간이 있었습니다. 지금 돌아보면 그 모든 순간이 소중하고, 무엇과도 바꿀 수 없는 값진 경험이었습니다. 제 학창 시절의 마지막 매듭을 이렇게 뜻깊게 지을 수 있도록 힘이 되어주신 김영범 선생님과 이정섭 선생님께 깊이 감사드립니다. 그리고 이 책을 읽어주신 여러분 모두가 지금까지 쏟은 노력이 빛을 발하는 순간을 맞이하고, 스스로 세운 목표에 꼭 다다르시길 바랍니다.

2024년 초겨울
변휘재